Les dragons de Nalsara

12

• Dans le ventre de la montagne •

L'auteur : Marie-Hélène Delval est auteur
de nombreux romans et histoires pour la jeunesse,
publiés aux éditions Bayard Jeunesse, Flammarion…
Pour Bayard, elle est également traductrice
de l'anglais (les séries L'Épouvanteur
et La cabane magique, *L'Aîné*…).
C'est une passionnée de « littérature de l'Imaginaire »
et – bien sûr – de fantasy !

L'illustrateur : Alban Marilleau a étudié
à l'École Supérieure de l'Image d'Angoulême.
Depuis, il illustre des albums, de la bande dessinée,
et travaille pour Bayard Presse.
Ses ouvrages sont notamment publiés
aux éditions Nathan et Larousse. Pour représenter
l'univers magique des dragons de Nalsara,
il s'est inspiré des ambiances qu'il fréquentait
déjà enfant, dans les romans de Tolkien.

© 2011, Bayard Éditions
Dépôt légal : mai 2011
ISBN : 978-2-7470-3372-5
Loi n° 49-956 du 16 juillet 1949 sur les publications à destination de la jeunesse.

Imprimé en Allemagne par CPI - Clausen & Bosse

Marie-Hélène Delval

• Dans le ventre de la montagne •

Illustrations d'Alban Marilleau

bayard jeunesse

Les dragons de Nalsara

Cette histoire se passe au royaume
d'Ombrune, sous le règne du roi Bertram.
À deux heures de bateau du port de Nalsara,
la capitale, s'élève l'île aux Dragons.
On l'appelle ainsi car, tous les neuf ans,
deux ou trois dragonnes sauvages
viennent y déposer leur œuf.
C'est là que vit Antos, le Grand Éleveur
de dragons, avec ses enfants, Cham et Nyne.

Cham

Antos

Nyne

Résumé de l'épisode précédent
Les maléfices du marécage

Sous la forme d'une chouette blanche et d'un moineau, Dhydra et Cham volent vers le sud, laissant derrière eux la Citadelle Noire des sorciers addraks. Ceux-ci sont furieux : le garçon ne leur a pas ramené de dragons, et leur prisonnière s'est évadée ! Darkat part à leur poursuite sur le dos de la strige. Or, Dhydra est épuisée. Elle n'a plus la force de les rendre invisible, son fils et elle, pour échapper au regard de la créature. Heureusement, à Nalsara, Isendrine et Mélisande veillent ; elles lui envoient une goutte de vif-argent. Grâce à l'énergie contenue dans ce métal magique, Dhydra et Cham parviennent jusqu'au marécage, au pied des Mornes Monts. À leur grand étonnement, ils sont accueillis par des enfants : Igrid, une fille à peine plus âgée que Cham, et ses petits frères. Igrid les conduit au cœur de la montagne. Là, dans des grottes secrètes, vit le Libre Peuple ; les Addraks ignorent son existence. Nastrad, le grand-père d'Igrid, est leur chaman, un magicien qui utilise les forces de la nature. Dhydra et Cham peuvent manger et se reposer. Mais, pour épater Igrid, Cham jette imprudemment un sort que Darkat lui a enseigné : il transforme un bâton en serpent. La strige sent aussitôt la vibration de magie noire, et le sorcier devine que les fugitifs se cachent près du marécage. Il s'y précipite. Nastrad prépare alors d'impressionnants sortilèges : Darkat est attaqué par des serpents d'eau, devenus gigantesques. Il prend la fuite, épouvanté. Dhydra et Cham espèrent à présent repartir vers Ombrune.

Le jour se lève

Une aube lumineuse fait briller les toitures du palais.

Dans son box de la Dragonnerie royale, Nour s'ébroue. Il renifle bruyamment et murmure en lui-même :

« Cham, tu es en route. Mais il y a loin, du pays des Addraks jusqu'à Nalsara ! »

Le jeune dragon plisse ses yeux d'or avec malice :

« Bientôt, petit maître, tu auras grand besoin d'une monture… »

Nyne, qui vient de se réveiller, s'étire sous le drap. Puis elle saute du lit et court à la fenêtre. Le ciel est si clair, ce matin! La petite fille ouvre la croisée, respire à pleins poumons. Il y a dans l'air léger comme une promesse de bonheur.

Une voix à moitié endormie l'interpelle:

– Nyne! Que fais-tu là, pieds nus et en chemise de nuit? Tu vas attraper mal.

Le filet de vent froid a tiré Antos du sommeil. Il se frotte les yeux en grommelant:

– J'ai rêvé de nos bêtes. J'espère que les jeunes fermiers envoyés par le roi s'en occupent bien…

Le Grand Éleveur trouve le temps long. Voilà presque un mois qu'il est hébergé au palais avec sa fille. S'il ne craignait pas de mettre Nyne en danger, il regagnerait immédiatement l'île aux Dragons. Mais, après s'être emparés de sa mère et de son frère, les Addraks essayeraient peut-être d'enlever la fillette. Et puis, en restant à Nalsara, il est sûr d'avoir plus vite des nouvelles de Cham et de Dhydra.

D'après les magiciennes, ils ont échappé aux sorciers addraks. Quand reviendront-ils? Et comment? Tant de périls peuvent encore les guetter sur le chemin du retour!

Le rire de Nyne tire l'éleveur de dragons de ses pensées:

– Papa, tu ressembles à un vieux bouc bougon. Habille-toi vite! J'ai hâte d'interroger Isendrine et Mélisande. Il s'est passé quelque chose, cette nuit, je le sens.

– Tu le sens? répète Antos en souriant. Serais-tu un peu magicienne, toi aussi?

Il contemple sa fille qui a déjà boutonné sa robe et brosse en hâte ses épais cheveux noirs. Elle ressemble de plus en plus à sa mère !

« Dhydra… Serons-nous bientôt réunis ? » songe-t-il avec un mélange d'espérance et d'angoisse.

– Allez, viens, papa !

Il répond par un grognement. En fait, c'est une façon de cacher son trouble : et si sa fille avait raison ? Si une bonne nouvelle les attendait ? Les mains un peu tremblantes, il se dépêche d'enfiler sa chemise.

Dans la chambre de Nastrad, au cœur de la montagne, Dhydra, Cham, Igrid et le vieux chaman prennent un petit déjeuner d'œufs frais et de champignons. Les sortilèges qu'ils ont utilisés au cours de la nuit leur ont demandé beaucoup d'énergie. Après la fuite de Darkat et de la strige, tous les quatre ont dormi profondément quelques heures. À présent, pour la magicienne et son fils, le moment du départ approche.

Cham est partagé : il a hâte de retourner à Nalsara, et il est malheureux à l'idée de quitter Igrid. Comme si elle avait percé ses pensées, la fille rousse demande :

— Tu reviendras ?

Ses yeux verts pleins d'espoir fixent le garçon.

Celui-ci affirme :

— Je reviendrai. Je ne sais pas dans combien de temps. Mais je tiendrai parole. Tu te rappelles ce que je t'ai dit… ?

— Ah, oui ! Que tu chasserais les Addraks quand tu serais un grand dragonnier !

Igrid conclut, moqueuse :

— Alors, ce n'est pas demain la veille !

Cham se jette sur elle en grondant :

— Oh, toi, sale petite peste ! Tu veux que je te transforme en ver de vase ?

Ils roulent tous les deux sur le tapis de jonc avec des éclats de rire. Dhydra pose sur eux un regard amusé, tandis que Nastrad murmure :

— La vie dans nos grottes va sembler bien monotone à ma petite-fille, à présent.

Mais vous nous avez rendu l'espérance. Ces enfants verront peut-être un jour les Addraks vaincus, Norlande redevenu libre et prospère, et nos deux royaumes de nouveau amis.

Le repas terminé, Dhydra et Cham mettent sur leur dos des hottes de jonc tressé contenant des vivres et de l'eau, ainsi qu'une petite jarre d'huile pour leurs lampes. Deux jeunes gens viennent chercher les voyageurs. Ils sont chargés de les conduire jusqu'à une longue galerie souterraine qui traverse la montagne, l'un des chemins secrets dont Nastrad a parlé.

Le moment des adieux est venu. Dhydra serre avec chaleur les deux mains ridées du chaman :

— Je ne sais comment vous remercier, Nastrad. Sans vous…

Le vieil homme l'interrompt d'un hochement de tête :

— Ce fut une joie de vous rencontrer, vous et votre fils. Maintenant, le Libre

Peuple n'est plus seul ; il a des amis au royaume d'Ombrune. Dites à votre roi que, s'il combat un jour les Addraks, il pourra compter sur notre aide.

– Je le lui dirai, promet Dhydra.

Pendant cette conversation, Cham se balance d'un pied sur l'autre, indécis. Il aimerait embrasser Igrid, mais il n'ose pas. La fille s'empare alors d'une lampe et déclare d'un ton décidé :

– Grand-père, je les accompagne dans le souterrain !

Avant que Nastrad ait le temps de réagir, elle sort de la chambre, invitant d'un geste Dhydra, Cham et leurs deux guides à la suivre :

– En route !

Le garçon est le premier à s'élancer derrière elle, tout heureux. Igrid vient avec eux ! Ils ne vont pas se quitter tout de suite !

Des histoires...

Nastrad l'a expliqué à Dhydra : il leur faudra environ trois jours pour traverser les Mornes Monts. Trois jours qui seront comme trois nuits, car ils marcheront dans le noir, à la seule lueur des lampes à huile. Les jeunes gens qui les accompagnent, Sappi et Saddi – des jumeaux –, connaissent bien le réseau de galeries creusé au cœur de la montagne. Ils conduiront les voyageurs jusqu'à un tunnel, caché derrière un pan de rocher. De là, Dhydra et Cham n'auront plus qu'à continuer tout droit. Lorsqu'ils reverront la lumière du jour, ils auront franchi la frontière. Ils surgiront de l'autre côté des Montagnes du Nord, ils seront à Ombrune.

Le petit groupe avance d'un bon pas. Sappi et Saddi marchent devant, Dhydra vient ensuite, puis Igrid et Cham, qui ne cessent de pouffer et de bavarder. En réalité, chacun d'eux se montre plus gai qu'il ne l'est ; dans moins de deux heures, ils le savent, ils seront arrivés à l'entrée du tunnel où ils devront se séparer.

Les flammes jaunes des lampes projettent des ombres dansantes sur les parois. Parfois, le chemin monte ; parfois, il descend. D'autres galeries s'ouvrent à droite ou à gauche. Dhydra lance à leurs accompagnateurs :

– Je comprends pourquoi Nastrad a insisté pour que vous nous serviez de guides. Je pensais qu'un plan des souterrains nous suffirait. Mais sans vous, nous serions déjà perdus !

Sappi et Saddi prennent un air important.

– Il faut être né dans le ventre de la

montagne pour s'y promener sans danger, affirme l'un.

— Enfin, sans danger, ce n'est jamais sûr…, continue l'autre.

— Que voulez-vous dire ? l'interroge la jeune femme.

Les deux garçons échangent un regard. Puis ils déclarent :

— Oh rien, rien…

— Ce sont des histoires…

— Des histoires ? Quelles histoires ? intervient Cham, un peu inquiet.

— Ne les écoutez pas ! lance alors Igrid. Sappi et Saddi sont les élèves de notre conteur, qui leur apprend des tas de légendes. Et celles qu'ils ne connaissent pas, ils les inventent. Ce sont les plus grands menteurs de la tribu !

— On n'est pas des menteurs ! proteste Sappi.

— Il y a des histoires qu'on invente, reconnaît Saddi. Mais celle de Cogne-Rocher, elle est vraie ! Cogne-Rocher existe. On l'a même rencontré.

Le petit groupe s'est arrêté. La flamme des lampes monte toute droite, et les ombres cessent de bouger sur les parois.

Dhydra demande d'une voix calme :

— Qui est Cogne-Rocher ?

Il y a un instant de silence embarrassé. Puis Saddi marmonne :

— Enfin, on ne l'a pas vraiment vu…

Igrid éclate d'un rire un peu forcé :

— Qu'est-ce que je vous disais ! Ils racontent n'importe quoi !

Sappi poursuit :

— On ne l'a pas vu, mais on l'a entendu. Plusieurs fois. Dans les galeries, là-bas. *Ça* tape dans le mur, *ça* nous accompagne. Et si on continue d'avancer, *ça* tape de plus en plus fort, comme si *ça* se fâchait.

— Oui, renchérit Saddi. Comme si *ça* nous interdisait d'aller plus loin.

Cham sent ses cheveux se hérisser sur sa nuque.

Si c'est une plaisanterie, il ne la trouve pas drôle. Dans un petit moment, sa mère et lui vont se retrouver seuls dans les souterrains, seuls avec leurs pauvres lampes qui éclairent à peine à dix pas. Et s'il y a vraiment, dans les recoins de la montagne, une créature qui refuse de les laisser passer, que leur arrivera-t-il ?

D'une voix mal assurée, il suggère :

— On devrait peut-être revenir en arrière ? Contourner les Mornes Monts du côté de la mer ?

Dhydra lui caresse la tête d'un geste apaisant :

— Non, mon fils. Passer par la mer serait encore plus risqué. La strige nous repérerait trop facilement. Ce Cogne-Rocher est probablement un simple phénomène d'échos comme il s'en produit souvent dans les grottes. Si c'est une créature réelle, rien ne prouve qu'elle soit malveillante. Et, si elle l'est, nous saurons bien l'affronter. Allons, en route ! Ne perdons pas de temps en bavardages !

Saddi et Sappi repartent en tête ; les autres suivent. Cham sent la main d'Igrid se glisser dans la sienne. Il la serre. Ce contact lui fait du bien, même s'il ne suffit pas à le rassurer complètement.

Au bout de quelques pas, Igrid chuchote :

— Je suis sûre que Saddi et Sappi ont tout inventé. Ce soir, à la veillée, ils vont raconter cette nouvelle histoire de Cogne-Rocher. Ils vont se vanter de vous avoir flanqué la frousse, et les gens vont bien rigoler. Je les connais, tu sais. Ce sont de très bons élèves conteurs. Et puis, s'il y avait du danger, mon grand-père l'aurait su. Il ne vous aurait pas envoyés dans les galeries. Alors, n'aie pas peur !

— Je n'ai pas peur, affirme le garçon.

C'est vrai, ça ! Depuis quelques mois, il en a vu d'autres ! Il se redresse et s'applique à marcher d'un pas ferme. Il ne voudrait pour rien au monde qu'Igrid garde de lui le souvenir d'un trouillard.

3

Où les chemins se séparent

Au palais de Nalsara, Antos, Nyne et les magiciennes sont réunis dans le bureau de messire Onys, le Maître Dragonnier. Nyne est déçue : elle était si sûre d'apprendre une bonne nouvelle ! Or, ce qu'annoncent Isendrine et Mélisande la laisse perplexe :

– Les voyageurs ont entamé une longue marche…

– … et, quand il fera jour, il fera nuit.

« Qu'est-ce que ça signifie ? » se demande la petite fille, décontenancée.

Ces belles dames aux cheveux rouges ne

pourraient-elles pas parler plus clairement?

Antos, lui, pose les seules questions qui l'inquiètent vraiment:

— Dhydra et Cham sont-ils encore en danger? Et dans combien de temps peut-on espérer les revoir? Qu'annoncent les présages?

Isendrine et Mélisande ont un même geste gracieux du bras:

— Oh, les présages sont un peu… emmêlés! Ils…

— … racontent des mensonges qui disent la vérité.

— Comment ça? fait l'éleveur de dragons en haussant les sourcils.

Messire Onys, plus habitué que lui à ce langage énigmatique, s'efforce de le rassurer:

— Ne vous tourmentez pas! Si votre femme et votre fils étaient en danger, ces dames le sauraient.

— Pas en danger, non, pas en danger, chantonne l'une des magiciennes, mais…

— … il leur faudra voir clair dans le noir

et entendre les bruits du silence, conclut l'autre.

– Je ne comprends rien à ce charabia ! s'énerve Antos. Je sais que ma femme est magicienne, elle aussi. Ses pouvoirs sont-ils suffisants pour la ramener à Ombrune saine et sauve, ainsi que Cham ? Est-ce qu'on ne pourrait pas aller à leur rencontre ?

Isendrine et Mélisande déclarent alors :

– Pour l'instant, Grand Éleveur, ils sont dans…

– … le ventre de la montagne. Lorsqu'ils en sortiront, nous aviserons.

Puis elles se consultent en silence avant d'ajouter :

– Quant aux pouvoirs de Dhydra, il serait temps…

– … que votre fille et vous en sachiez davantage !

Toutes deux se tournent vers messire Onys. Le Maître Dragonnier s'éclaircit la gorge :

– Hmm… Je dois vous avouer, Grand Éleveur, que nous vous avons caché jusqu'à

présent une information importante, concer-
nant votre épouse et…

Il jette un coup d'œil embarrassé à Nyne.
Enfin, il souffle :

— Et vos enfants.

— Nous y voici, déclare Sappi. La galerie qui mène à Ombrune part de là, derrière ce rocher.

— C'est ici que nos chemins se séparent, conclut Saddi.

Cham se tourne vers Igrid. Elle lui sourit bravement, mais il y a du chagrin au fond de son regard vert.

— Au revoir, Cham, dit-elle. Bonne route !

— Je ne t'oublierai pas, Igrid, balbutie le garçon. Un jour, je… Nous…

Sa mère le tire d'embarras :

— Eh bien, mes petits, embrassez-vous !

Deux bras nus entourent Cham ; il sent sur sa joue le contact de lèvres douces et chaudes. Il ferme les yeux. Quand il les rouvre, Igrid s'est déjà écartée. La lumière des lampes met des reflets d'or rouge dans sa chevelure, et le garçon pense que nulle part il ne peut exister de fille plus jolie.

— En route, Cham ! murmure Dhydra.

D'un coup d'épaule, elle équilibre sa hotte de jonc sur son dos. Igrid, Sappi et Saddi saluent les voyageurs de la main. Dhydra se faufile par la fente du rocher,

Cham la suit. L'instant d'après, ils sont seuls. Une galerie étroite s'ouvre devant eux. Les lampes n'éclairent qu'à quelques mètres. Au-delà, c'est le noir complet. «Trois jours de marche. Ou plutôt trois nuits», a dit le vieux chaman. Le garçon essaye d'imaginer le soleil qui doit être levé, à cette heure, et monter lentement dans le ciel d'hiver. Il tâche de se représenter l'instant où sa mère et lui surgiront de l'autre côté de la montagne, sur la terre d'Ombrune. Il n'y réussit pas vraiment, mais il s'accroche à cette image et y puise le courage d'avancer.

«Si seulement je pouvais appeler Nour, quand nous sortirons du tunnel! songe-t-il. Malheureusement, nous serons encore bien loin de Nalsara. Il ne m'entendra pas…»

À voix haute, il demande:

— As-tu déjà chevauché un dragon, maman?

— Je ne suis pas dragonnier, mon fils.

— Non, mais… Tu parles aux dragons, alors…

Dhydra a un petit rire:

– C'est vrai, je leur parle. Et, en vérité, il m'est arrivé de chevaucher Selka en cachette.

– Selka ? Et messire Damian, son dragonnier, ne le savait pas ?

– Oh si, il le savait ! Il faisait juste semblant de l'ignorer.

Dans la lumière tremblante des lampes, Cham découvre sur le visage de sa mère une expression de grande tendresse.

– Messire Damian a été comme un père pour moi. Je l'ai beaucoup aimé.

4

Un beau discours

Au-dehors, le jour est tout à fait levé. Darkat a retardé le plus possible le moment de rentrer à la Citadelle Noire. Il ne ramène pas les fugitifs, il a échoué dans sa mission. Et il craint la colère du Conseil des Sorciers. Maintenant, il gravit le sombre escalier menant à la grande salle, en haut du donjon de pierre noire. Il se répète une dernière fois l'histoire qu'il a préparée. Avec un peu de chance, ça marchera... Il hésite une seconde devant la porte. Enfin, rassemblant son courage, il pousse le battant.

Onze sorciers sont assis sur les sièges à dossier sculpté. Un douzième siège attend Darkat. Dès qu'il est entré, tous les regards se fixent sur lui. Le plus vieux de ces impressionnants personnages, celui dont le front est orné d'un bandeau d'argent, ne laisse même pas au jeune homme le temps de prendre place. Il l'interpelle d'une voix cassante :

— Eh bien ! Nous as-tu ramené la prisonnière ? Parle, Darkat !

Celui-ci s'arrête au centre du cercle. S'efforçant de prendre un ton important et mystérieux, il déclare :

— Non, Grand Maître, mais j'ai mieux à vous offrir. J'ai été le témoin de phénomènes fort étranges : une puissance magique inconnue habite les marécages, au pied des Mornes Monts. Son énergie est égale à celle de la strige, et je suis sûr qu'elle vaut aussi celle d'un dragon. Si nous pouvions nous en emparer, la contraindre à nous obéir, elle augmenterait considérablement nos chances de vaincre le royaume d'Ombrune.

Le Grand Maître fronce les sourcils, mécontent :

— Ce n'est pas ce que nous attendions de toi. Où est Dhydra ?

Darkat a une seconde d'embarras. Il pensait que ces informations allaient intéresser le Conseil. Le voilà obligé de répondre à la question. Relevant la tête avec assurance, il déclare :

— Dhydra est là-bas. Elle n'y est pas seule. Son fils est avec elle.

— Cham ? s'étonne l'un des sorciers. Il ne s'est pas noyé ?

— Non. Il est en vie. Et c'est une chance pour nous !

— Une chance ? ricane le Grand Maître. À condition que nous remettions la main sur lui ! Car tu n'as pas ramené le gamin non plus, n'est-ce pas ?

Le jeune sorcier se lance alors dans un discours enflammé :

— Messires, je vous le répète, j'ai détecté au pied des Mornes Monts des éléments magiques d'une formidable efficacité. Il semble que Dhydra et son fils se soient réfugiés au milieu d'eux. Ces éléments, il faut les détruire ou nous en emparer ! Je n'ai pas voulu m'y attaquer seul, car la strige flairait un piège ; c'est pourquoi je suis revenu sans les fugitifs. Mais ils sont toujours là-bas : à cet endroit, la montagne est infranchissable, même pour une magicienne aussi habile que ma sœur. Allons ensemble jusqu'aux marécages ! Unissons nos pouvoirs ! Utilisons nos rituels de magie noire ! Nous reprendrons Dhydra et Cham, et nous serons maîtres de nouveaux sortilèges qui nous rendront plus redoutables que jamais !

Un lourd silence suit cette belle déclaration. Enfin, le Grand Maître reprend la parole :

— Des forces qui nous aideraient à vaincre les armées d'Ombrune, dis-tu ? Cela mérite qu'on y réfléchisse. Va t'asseoir, Darkat. Et décris-nous ces curieux phénomènes que tu as observés. Nous t'écoutons…

Ils marchent, ils marchent. Depuis combien de temps marchent-ils ainsi dans ce tunnel de pierre ? Cham n'en a aucune idée. L'obscurité qui les environne, les ombres que les lampes projettent sur les parois, leurs pas qui résonnent sous la voûte rocheuse, tout ça le rend nerveux.

Il demande :

– Maman, on ne pourrait pas lancer un sortilège de lumière ? Ces lampes éclairent si mal… Une boule de lucioles donnerait plus de clarté, non ?

– Je ne suis pas sûre que ce soit une bonne idée, mon fils, répond Dhydra. Nous sommes des étrangers en ces lieux. Utiliser la magie attirerait l'attention sur nous.

Cette phrase réveille les craintes du garçon :

– L'attention de qui ? Tu crois qu'il y a des… choses, là-dedans ? Comme ce Cogne-Rocher dont parlaient Sappi et Saddi ?

Dhydra fait une dizaine de pas en silence. Puis elle reprend :

– Si des êtres malveillants hantaient les

profondeurs de la montagne, Nastrad nous aurait mis en garde. Mais…

— Mais quoi, maman ?

— Il existe des créatures ni bonnes ni mauvaises, qu'il faut simplement éviter de contrarier. D'après ce que m'a montré mon miroir, nous pourrions en croiser une sur notre chemin…

« Ni bonnes ni mauvaises », c'est mi-rassurant mi-inquiétant. Cependant, Cham a soudain une autre question à poser :

— Ton miroir, maman ! Tu ne m'as pas expliqué comment tu l'avais récupéré. C'est bien celui que messire Damian a donné à Nyne ?

— Oui, c'est celui-là. Ta sœur me l'a apporté.

— Ma sœur ? s'exclame le garçon, abasourdi. Quand ? Comment ?

Dhydra entame alors un récit qui laisse Cham sans voix : Nyne, la petite Nyne, s'est montrée incroyablement courageuse ! Elle est venue jusqu'à la Citadelle Noire sur le dos de Vag, son ami l'élusim !

Instinctivement, le garçon presse l'allure. Nyne ! Avec tous ces événements, il n'a plus beaucoup pensé à elle. Comme il a envie de la revoir, soudain !

À cet instant, sa mère le retient par le bras :

— Pas si vite, Cham !

D'une voix chuchotante, elle ajoute :

— On nous observe.

Souffle ta lampe !

Nyne est furibonde. Ce que messire Onys leur a appris ce matin ne peut pas être vrai ! Dhydra, sa mère, serait la fille d'un sorcier addrak ? Ça signifie que son frère et elle seraient aussi un peu addraks ? Non, non, c'est impossible ! La petite fille ne veut pas y croire !

Quand le Maître Dragonnier leur a fait cette révélation, Antos a été si stupéfait qu'il est resté muet. Nyne, elle, a explosé :

— Vous mentez ! C'est faux ! Maman est une magicienne, pas une sorcière ! Cham et moi, on n'est pas d'affreux Addraks! Et pourquoi vous ne nous avez pas dit ça plus tôt, hein? Maman va bientôt revenir; quand je la verrai, je… on…

Elle s'est tue pour ne pas éclater en sanglots. Elle qui attend ce moment avec tant d'impatience! Comment va-t-elle regarder sa mère, à présent, sachant qu'elle est à moitié addrak?

Messire Onys l'observait d'un air embarrassé. Les magiciennes ont essayé de la consoler. Mais Nyne ne supportait plus leur façon d'enchaîner les phrases l'une après l'autre comme si elles n'avaient qu'un cerveau pour deux. Elle a tourné les talons et elle est sortie de la pièce en claquant la porte.

Voilà plusieurs heures, maintenant, qu'elle marche dans la campagne. Elle a emprunté une petite porte pour quitter le palais. Ce n'est pas la première fois qu'elle en sort depuis son arrivée, il y a bientôt un mois. Les autres jours, elle s'est promenée au bord de la mer en compagnie de son père.

Aujourd'hui, elle a besoin d'être seule. Elle a besoin de réfléchir.

Nyne pense à son frère. Cham a été emprisonné dans la Citadelle Noire, comme leur mère. Qu'a-t-il vu, chez les Addraks ? Qu'a-t-il fait ? Quand elle le reverra, le trouvera-t-elle différent ? Et s'il était devenu… comme Darkat ? La petite fille se souvient du jeune sorcier qui a essayé d'enlever le roi ; elle revoit l'horrible strige, et un frisson désagréable lui court le long du dos.

Derrière elle, une voix douce demande alors :

— Tu es Nyne, n'est-ce pas ?

Elle se retourne, interloquée. Une vieille femme la regarde avec un bon sourire. Posant sa brouette chargée de fagots, elle ajoute :

— Ces cheveux si noirs, cette peau si blanche… Tu me rappelles ma chère Dhydra quand elle avait ton âge. Et tu ressembles beaucoup à ton frère Cham.

— Vous… vous connaissez ma mère ? bredouille Nyne.

La vieille femme hoche la tête :

— Tu as rencontré messire Damian, le vieux dragonnier. Ne vous a-t-il pas parlé, à Cham et à toi, de la servante qui avait élevé Dhydra ?

— Si…

– Eh bien, c'est moi. Je m'appelle Viriana. Et je suis très heureuse de faire ta connaissance, Nyne ! Tu es aussi jolie que l'était ta maman à ton âge.

En riant, Viriana ajoute :

– Et tu me sembles avoir, comme elle, un sacré caractère ! Voilà un moment que je t'observe. Tu donnes des coups de pied furieux dans de pauvres cailloux qui ne t'ont rien fait. Qu'est-ce qui ne va pas, mon enfant ? Aurais-tu appris une chose qui t'a bouleversée ?

La petite fille ouvre des yeux étonnés :

– Comment le savez-vous ?

La femme la dévisage, pensive. Puis elle propose :

– Veux-tu m'accompagner chez moi ? Ma maison est à côté du palais. Nous bavarderons. Et j'ai une longue histoire à te raconter, une histoire que ton frère a déjà entendue[1].

– Quelle histoire ?

– Celle d'une jeune fille très belle et

_____
1. Lire *Le secret des magiciennes* (Les dragons de Nalsara, n° 7).

très courageuse, qui s'appelait Solveig. Ta grand-mère, Nyne.

Sur le sentier souterrain, dans le ventre de la montagne, les deux voyageurs se sont immobilisés, aux aguets.

– Souffle ta lampe ! ordonne Dhydra à voix basse.

– Mais, maman…

– Souffle ta lampe, Cham !

Le garçon obéit à contrecœur. Se retrouver dans le noir complet ne lui plaît pas du tout. Retenant sa respiration, il écoute ; il n'entend rien. Pourtant, il devine une présence. *Quelque chose* guette. Instinctivement, il se rapproche de sa mère. Il a besoin de sentir sa tiédeur, le frôlement de sa robe de laine. Les minutes passent, interminables. Dhydra ne bouge pas, Cham n'ose pas faire le moindre mouvement.

Mais voilà que le bout de son nez le démange. Vont-ils rester encore longtemps figés comme des statues ? Il faut absolument qu'il se gratte ! N'y tenant plus, le garçon lève la main et, du bout de l'ongle, apaise l'insupportable chatouillis. Ça ne produit qu'un infime crissement. Or, Cham sent la main de sa mère se refermer sur son poignet, tandis qu'un ordre retentit dans sa tête :

«Chut! Pas un bruit!»

Sont-ils à ce point en danger pour que Dhydra n'ose pas parler à voix haute? L'angoisse du garçon monte d'un cran. Il a trop chaud; pourtant, la sueur qui lui coule dans le dos est glacée.

Soudain, il perçoit un battement sourd, lent, régulier : *boum, boum, boum.* Ce n'est pas celui de son cœur : il tape dans sa poitrine à un rythme dix fois plus rapide! Et ce qui cogne là-bas, quelque part, et qui se rapproche peu à peu, semble se déplacer à l'intérieur même du rocher. Ça ne peut être que... Cogne-Rocher!

Droit de passage

Boum, boum, boum...

Le battement continue de se rapprocher. Il s'arrête, il reprend.

Cham a glissé sa main dans celle de sa mère. C'est à peine s'il ose encore respirer.

Boum... Boum, boum... Boum...

Il y a quelques secondes de pause, suivies d'un puissant *BOUM !* Puis, plus rien.

Un calme inquiétant s'installe dans la galerie obscure. Cham sent les doigts de Dhydra presser les siens ; il comprend l'ordre muet qu'elle lui donne : « Ne dis rien, ne bouge pas. » Il obéit, retenant son souffle, écoutant de toutes ses oreilles. Au bout d'un moment, il perçoit des sons légers : un caillou qui roule, une goutte d'eau qui tombe, le trottinement de pattes minuscules.

« Les bruits du silence… », songe-t-il.

En tout cas, plus rien qui évoque ce Cogne-Rocher dont parlaient les apprentis conteurs. Les battements qu'ils ont entendus seraient-ils de simples échos dans la montagne, comme le supposait sa mère ?

Il commence à se détendre. Presque aussitôt retentit un violent *BOUM!* Cham sursaute et retient de justesse un cri d'effroi. Alors, la voix de Dhydra s'élève, ferme et tranquille :

— Nous avons pénétré dans votre domaine, veuillez nous pardonner. Mais c'est le seul chemin qui nous ramène chez nous ; dehors, nous serions en grand danger. Auriez-vous la bonté de nous laisser passer ?

« À qui parle-t-elle ? » s'interroge Cham.

Il écarquille les yeux, cherchant à percer l'obscurité. À quoi bon avoir soufflé les lampes ? Si une créature hante ces lieux, elle y voit dans le noir, c'est sûr ; elle les observe probablement depuis un bon moment…

Les secondes s'égrènent, deviennent des minutes. Aucune réponse. Le garçon commence à espérer qu'il n'y a personne devant eux, que Dhydra s'est adressée au vide.

Soudain, une voix s'élève, et on croirait entendre une porte tourner sur des gonds rouillés :

— Les laisser passer ? Hiiiiii, hin, hin, hin ! Peut-être oui, peut-être non…

Le garçon en a la chair de poule.

La jeune femme, elle, ne semble guère impressionnée. Toujours aussi sereine, elle reprend :

— Oh, c'est juste ! Vous désirez quelque chose pour prix de notre passage. Cet objet vous conviendrait-il ?

Cham devine qu'elle fouille dans sa poche. Cherche-t-elle son miroir ? Va-t-elle donner un objet si précieux à cette… à ce… il ne sait trop quoi ? Ce serait cher payer leur liberté, non ? Il est vrai qu'ils n'ont guère le choix…

Une lueur bleutée se répand alors autour de lui. Et le garçon distingue sur la paume de Dhydra une toute petite boule brillante.

La goutte de vif-argent ! Celle que leur ont envoyée les magiciennes quand ils fuyaient la Citadelle Noire ! Voilà ce que sa mère offre à la créature invisible, qui… n'est plus totalement invisible, d'ailleurs !

Une silhouette se dessine dans la faible lumière émise par la bille de mercure. Et Cham se dit qu'il aurait préféré ne rien voir. Car ce qui apparaît devant eux est noueux comme un très vieux saule, avec des bras évoquant des branches tordues, des jambes et des pieds pareils à des racines, une peau aussi râpeuse qu'une écorce. La tête est une boule grisâtre où brillent deux yeux pas plus gros que des têtes d'épingle. Au-dessous, une fente noire remue, et la voix grinçante articule :

— Hin, hin… Vif-argent ? Pour moi ? Bon vif-argent ?

– Pour vous, confirme Dhydra. Du bon vif-argent, chargé de bonne magie.

– Bonne magie? Bonne magie très utile dans le ventre de la montagne. Bonne magie éloigne Cogne-Rocher!

Cham est si surpris qu'il lâche sans réfléchir:

– Parce que… vous n'êtes pas Cogne-Rocher?

Il comprend aussitôt qu'il a dit une bêtise. La créature agite ses bras en forme de branche et siffle, furieuse:

– Hiiiiiiiiiiiii! Cogne-Rocher mauvais! Cogne-Rocher méchant! Femme, donne vif-argent! Vite!

Et, à la stupéfaction du garçon, l'être difforme se met à bourrer de coups de pied la paroi de la galerie: *boum, boum, boum, BOUM!*

Dhydra s'avance, la paume ouverte:

– Prenez! Le vif-argent est à vous.

La créature se calme à l'instant. Elle tend une main rabougrie, et ses doigts aux allures de brindilles sèches se referment avidement sur la bille argentée. La fente de la bouche esquisse une grimace qui est peut-être un sourire :

— Merci ! La dame passe.

Les petits yeux perçants se posent alors sur Cham :

— Lui, il reste.

Cham déglutit, affolé. Comment ça ? Ce… truc tordu prétend le retenir ici ?

Sa mère déclare alors, d'un ton sans réplique :

— Lui, il vient avec moi. Sinon, le vif-argent s'éteindra.

La créature frémit, se tortille, se balance. On dirait un arbre mort agité par le vent. Enfin, elle soupire :

— Non, oh non ! Vif-argent, bonne magie ! Bon vif-argent ! Passez ! Filez tous les deux ! Viiiiite !

Sur ces mots, l'incroyable personnage semble pénétrer dans le rocher, emportant la goutte de mercure. Et la vague lueur qui l'éclairait disparaît avec lui.

Magicienne ?

Quelle rencontre ! Cham en est encore tout palpitant.

Alors que sa mère rallume les lampes, il lui fait remarquer :

– Ça ne servait à rien de les éteindre. Cette créature y voit dans le noir, non ?

– Certainement. Mais un être habitué à vivre dans une totale obscurité n'aime pas la lumière. Il se serait montré beaucoup plus agressif si nous les avions laissées allumées.

Baissant la voix, Cham demande :

— Qu'est-ce que c'était, maman, cette espèce d'arbre à pattes ?

— Ce que c'était ? reprend Dhydra, amusée. Voyons, Cham, tu n'as pas deviné ? C'était Cogne-Rocher !

— Cogne-Rocher ? Mais… Il a dit que Cogne-Rocher était méchant…

— Il parlait de la part sombre de lui-même. Le vif-argent lui permettra de la dominer, désormais.

— Ah, je comprends ! C'était la créature que ton miroir t'a montrée, celle qui n'est ni bonne ni mauvaise.

— Comme chacun de nous, mon fils. Nous devons tous maîtriser notre côté obscur.

« Notre côté addrak », songe le garçon sans oser l'exprimer à voix haute.

Puis il constate :

— Tu n'as plus ta goutte de vif-argent, maintenant, c'est dommage. On aurait pu chasser Cogne-Rocher en lançant : *Horlor Gorom* !?

— Oh non ! On n'emploie cette formule que face à des êtres réellement maléfiques !

– Ah! Et… qu'est-ce que ça veut dire, maman, *Horlor Gorom*!?

Dhydra lève un sourcil étonné :

– Les dragons ne te l'ont pas appris, Cham ? Ça signifie : *Arrière, Démon !*

La colère de Nyne est retombée. À son tour, elle vient d'entendre la triste histoire de Solveig, qui fut séduite par un puissant sorcier addrak, et qui eut le courage de fuir avec son nouveau-né. Solveig, qui confia à une servante du palais sa toute petite fille à la peau si blanche et aux cheveux si noirs avant de mourir d'épuisement. Solveig, sa grand-mère.

Nyne regarde autour d'elle. La maison de Viriana se compose d'une seule pièce au sol carrelé. Un fauteuil à bascule et un tabouret sont disposés de chaque côté de la cheminée. Il y a un lit contre le mur du fond. Derrière les rideaux d'une alcôve, on aperçoit un autre lit recouvert d'un édredon rouge. Est-ce que ce serait… ?

Viriana a compris la question muette de sa jeune invitée :

— Oui, c'est dans ce lit que ta maman dormait.

Nyne marche jusqu'à la porte et observe la cour : le puits, le seau posé sur la margelle, le linge qui sèche sur une corde, les poules qui picorent dans la poussière. C'est étrange de penser que sa mère a grandi dans ce décor.

La fillette demande :

— Maman est une grande magicienne, n'est-ce pas ? Mais…

Elle hésite, puis lâche :

— Est-ce qu'elle utilise aussi la magie noire comme… comme son père le sorcier ?

Viriana secoue la tête en souriant :

— Rassure-toi, petite Nyne. Ta mère est une bonne magicienne. Les maléfices des Addraks n'ont pas empoisonné son cœur. Quant à toi et à ton frère, vous ressemblez à votre mère ; il n'y a rien de mauvais en vous, j'en suis sûre.

La fillette acquiesce en silence. Malgré tout, elle se répète :

« Si maman est à moitié addrak, Cham et moi, nous le sommes un peu aussi… »

C'est une idée très inquiétante. Et en même temps très... exaltante ! Nyne a l'impression qu'une force mystérieuse est en train de naître en elle.

Elle sort, se dirige vers le centre de la cour. Le puits l'attire. Elle s'approche, s'accoude à la margelle, se penche par-dessus.

Quelques mètres plus bas, un cercle d'eau immobile réfléchit le ciel clair. Le visage de la petite fille s'y reflète à son tour, comme dans un miroir.

« On dirait le miroir de maman, en plus grand... », songe-t-elle.

À peine s'est-elle fait cette réflexion qu'un curieux phénomène se produit : la surface de l'eau se ride, se trouble, s'assombrit. Le ciel a disparu, le visage de Nyne aussi. Pendant quelques secondes, tout est noir. Puis deux petites flammes apparaissent ; elles éclairent deux silhouettes qui cheminent à vive allure dans l'obscurité.

– Cham ! Cham et... maman ! balbutie Nyne.

Aussitôt, la vision s'efface.

La fillette se jette dans les bras de la
vieille femme :

– Oh, Viriana ! J'ai vu mon frère ! Et ma
mère ! C'était elle, j'en suis sûre !

Les yeux brillants d'excitation, elle
ajoute :

– Ils avancent dans un lieu sans lumière,
une sorte de tunnel. Je comprends main-

tenant ce qu'ont voulu dire Isendrine et Mélisande : « Les voyageurs ont entamé une longue marche et, quand il fera jour, il fera nuit. » Ils sont en route, Viriana ! Ils seront bientôt là ! Il faut que j'aille le dire à papa !

La servante la contemple, émue :

– Il me semble revoir Dhydra, à ton âge, quand elle venait d'utiliser sa magie. Elle avait ce même air heureux et triomphant. Tu es une magicienne, comme ta mère, mon enfant !

Nyne en reste muette. Elle, magicienne ? Parce qu'elle a vu des images dans l'eau d'un puits ? Elle n'a pas utilisé de formule magique, ni rien. Ça s'est fait tout seul ; ça se faisait tout seul aussi, quand le miroir lui montrait quelque chose. Alors ?

« Bon, conclut-elle pour elle-même, j'y réfléchirai plus tard. »

Laissant la vieille femme, elle part en courant. À la barrière de la cour, elle agite la main :

– Merci pour tout, Viriana ! Je reviendrai te voir !

Puis elle galope vers le palais.

8

Discussions et décisions

Nastrad est inquiet. Après le départ de la magicienne et de son fils, le vieux chaman est allé s'asseoir un moment à l'extérieur. En humant l'air frais, il a perçu une vibration inquiétante, apportée par le vent du nord.

«Les sorciers addraks mijotent quelque chose, a-t-il pensé. Le jeune chevaucheur de strige leur a sans doute décrit les étonnants sortilèges auxquels il a assisté dans le marécage. Ce récit a dû piquer leur curiosité…»

Nastrad est revenu dans sa chambre

souterraine. Il a attendu le retour de sa petite fille, partie accompagner les fugitifs dans les galeries. Il a entendu le bruit léger de ses pas bien avant qu'elle surgisse dans la grotte.

— Eh bien, Igrid, nos amis sont-ils sur la bonne route ?

— Oui. J'espère qu'ils ne feront pas de… drôle de rencontre.

— Hé, hé…, plaisante le vieil homme. C'est plutôt la créature vivant dans le ventre de la montagne qui risque d'en faire une, de drôle de rencontre, tu ne crois pas ?

La fille écarquille les yeux :

— Que veux-tu dire, grand-père ? Ce ne sont pas des histoires ? Il y a vraiment une créature…

— Hmm, ça se pourrait…

Retrouvant sa gravité, il ajoute :

— Approche, petite, j'ai besoin de ton aide. Le crépuscule tombe vite, en cette saison. Tu vas profiter de la lumière du jour pour accomplir un certain travail dans le marécage. Car je crains que, la nuit venue, nous ayons de nouveaux visiteurs.

— Des visiteurs ? s'étonne Igrid. Qui ça, grand-père ?

Le vieil homme tourne vers elle son regard aveugle :

— Des personnages fort déplaisants. S'ils n'arrivent pas ce soir, ce sera demain ou après-demain. Mieux vaut être prêts à les recevoir…

Dans la salle du Conseil, au cœur de la Citadelle Noire, les sorciers discutent avec animation. Comme tous parlent en même temps, le Grand Maître élève la voix :

— Paix ! Ne gaspillons pas notre temps à ergoter[1] !

Le calme revenu, il résume la situation :

— Les phénomènes que Darkat nous a décrits révèlent que des forces magiques puissantes habitent le marécage, au pied des Mornes Monts. Ces forces, nous devons nous en emparer.

Tous approuvent de la tête, et l'un d'eux ajoute :

---

1. Ergoter : discuter trop longtemps sur des détails.

— Si Dhydra et son fils se dissimulent parmi elles, comme le suppose Darkat, nous mettrons la main sur eux par la même occasion !

— Cela a déjà été dit, soupire le plus vieux des sorciers d'un ton irrité. Décidons plutôt de la façon de procéder.

Darkat intervient alors :

— Grand Maître, pour approcher de ces lieux hantés, il serait prudent de nous rendre invisibles, de prendre par exemple l'apparence d'une brume. Ainsi, nous nous mêlerons au brouillard qui monte du marécage. La strige est capable de nous transporter tous, et…

— Devons-nous vraiment nous rendre là-bas tous les douze ? le coupe l'un des sorciers.

— Hmm…, fait le Grand Maître. Qu'en penses-tu, Darkat ?

Le jeune homme lève le menton d'un air important :

— Comme je vous l'ai expliqué, il s'agit de forces inconnues, chargées d'une énergie fantastique. Mieux vaut unir nos douze talents en magie noire pour les dompter.

– Soit! admet le vieillard au bandeau d'argent.

Il conclut, moqueur :

– Si douze sorciers tels que nous échouent à mater cette magie mystérieuse, les Addraks ne régneront plus très long-temps sur le pays !

L'assemblée éclate de rire à cette plaisanterie. Darkat, lui, s'efforce de cacher son soulagement. Plus personne ne lui reproche

de ne pas avoir ramené Dhydra et Cham. Le Conseil ne pense à présent qu'à l'aventure qui se prépare. Et le jeune homme se réjouit que tous les sorciers y participent. Car il n'est pas aussi confiant que le Grand Maître. Il sait, lui, quels redoutables maléfices ils vont affronter. Ils ne seront pas trop de douze, c'est certain…

Depuis combien de temps Cham et Dhydra suivent-ils le chemin souterrain? Deux jours? Trois jours? Dans cette nuit constante, le garçon a perdu le sens de la durée. Ils se sont arrêtés plusieurs fois pour manger quand ils ont eu faim. Ils ont dormi à même le sol, la tête contre leur hotte de jonc, quand la fatigue – et le besoin de sommeil – les a fait tituber. Ils ont rempli leur gourde en cuir à des sources qui glougloutaient entre les rochers. Ils ont renouvelé régulièrement l'huile de leurs lampes pour qu'elles ne s'éteignent pas.

De nouveau, le garçon suggère de lancer un sortilège de lumière:

– Maintenant que tu as donné le vif-argent à Cogne-Rocher, il nous laissera tranquilles, non?

Et de nouveau Dhydra le lui déconseille :

– Non, Cham. Mieux vaut que nous passions inaperçus.

– Tu crois que d'autres créatures errent par là?

– Je l'ignore. Mon miroir ne me montre que des ombres, qui pourraient être aussi bien un rocher qu'une bête tapie au creux de la paroi.

– Mais, maman, si on risquait de croiser des êtres dangereux, Nastrad nous aurait prévenus! C'est ce qu'Igrid m'a assuré.

Dhydra a un sourire un peu taquin :

– Ah, si Igrid te l'a assuré…!

D'un ton mystérieux, elle ajoute :

– Avançons encore deux ou trois heures. Alors, nous aviserons…

– On fait combien de pas, en deux ou trois heures? bougonne le garçon. Je n'arrive pas à mesurer le temps; tout est toujours pareil, dans ce noir.

— Voilà encore une chose que tu devras apprendre : comment calculer la durée quand on est privé de la lumière du jour. En attendant, marche ! Le bout du tunnel n'est plus très éloigné !

Une pierre blanche

Depuis trois jours, les Addraks préparent leur voyage vers les Mornes Monts. Sachant qu'ils vont affronter des forces inconnues, chacun d'eux s'est empli de magie noire en buvant le jus de plantes maléfiques, en se baignant dans du sang de bouc et en peignant son visage de motifs protecteurs. Ce soir, ils sont prêts.

Darkat fait sortir la strige de son antre.

— Allons-y ! décide l'homme au bandeau d'argent.

Les sorciers tourbillonnent sur eux-mêmes, devenant de simples silhouettes vaporeuses. Ils prennent place sur l'énorme dragon aux ailes de fumée. Et ils s'envolent vers le sud.

Au même moment, Nastrad fait venir sa petite-fille près de lui :

— Ils sont en route. Douze sorciers addraks. Le sortilège est-il en place ?

— Oui, grand-père. Mais… tu es sûr que cette grosse pierre blanche suffira à les éloigner ?

— Tu l'as bien ramassée à l'endroit que je t'ai indiqué ?

— Dans la grotte aux Chimères, confirme Igrid.

— Et tu l'as choisie avec soin ?

— Tu l'as tâtée au moins dix fois, grand-père ! Elle est grande, lisse, ovale. Je l'ai enfoncée dans la vase du marécage, comme tu me l'as demandé.

Nastrad hoche la tête d'un air satisfait :

— Alors, ils peuvent venir.

Dans la pénombre de la galerie, Dhydra et Cham cheminent toujours. Ce tunnel est interminable, et Cham a mal aux pieds. Il aimerait bien calmer la brûlure de ses ampoules. Il a appris un mot très utile pour soigner les petites plaies : *ispélénia !* Il faudrait qu'il le prononce à haute voix, car le répéter dans sa tête ne lui fait aucun effet. Mais Dhydra le lui a interdit : pas de magie tant qu'ils ne sont pas sortis du souterrain ! Ça pourrait attirer des créatures mal intentionnées.

— Aïe ! grogne le garçon en butant contre un caillou.

— Courage, mon fils, l'exhorte sa mère. Nous serons bientôt dehors.

Bientôt ? Ça veut dire quoi, bientôt ? Quelques minutes ou quelques heures ? Cham, de mauvaise humeur, ouvre la bouche pour poser la question quand sa mère s'arrête en lâchant une exclamation.

— Qu'est-ce qu'il y a, maman ?

Dhydra ne répond pas tout de suite. Elle reste immobile, attentive. Enfin, elle explique à voix basse :

– Une vibration a traversé la montagne. Une onde porteuse de magie noire…

Cham, glacé, lâche :

– Les Addraks ?

Une horrible pensée lui traverse l'esprit : Igrid, Nastrad, le Libre Peuple ! Les sorciers auraient-ils découvert leurs grottes secrètes ?

Dhydra se débarrasse de sa hotte de jonc. Elle fait signe à son fils de s'asseoir près d'elle. Sortant son miroir de sa poche, elle le pose sur ses genoux et souffle :

– Je veux savoir ce qui se passe. Regarde avec moi !

Cham appuie son épaule contre celle de sa mère. Une chose étonnante se produit alors. Le tout petit cercle de verre lui paraît soudain aussi large qu'un étang. Sur cette surface, des images apparaissent. Le garçon reconnaît le marécage, avec ses eaux noires où la lune dessine un chemin argenté. Il lui semble même entendre le chuchotement du vent dans les roseaux.

Lorsqu'une ombre immense masque la clarté lunaire, Cham étouffe un cri :

– La strige !

De cette masse sinistre sortent alors douze tourbillons de fumée, qui se posent au bord du marécage et, un à un, reprennent forme humaine. Les sorciers addraks ! Cham ose à peine respirer. Le plus effrayant, c'est que le garçon voit leurs bouches remuer, et… il entend leurs voix dans sa tête !

« Eh bien, Darkat ? grince le plus vieux. Où sont ces redoutables sortilèges que tu nous as tant vantés ? Et où sont les fugitifs ? Je ne détecte aucune trace de leur présence… »

Darkat balbutie, déconcerté :

« Je… je vous assure, Grand Maître que… »

À cet instant, la strige frémit. Le jeune sorcier se penche sur la créature ; il se concentre. Puis, les yeux brillants, il s'écrie :

« Les sortilèges sont là, Grand Maître ! La strige les a repérés. Ils sont contenus dans une pierre, enfouie dans la vase. »

L'homme au bandeau d'argent a une moue dédaigneuse :

« D'après ton récit, tu as été témoin de

manifestations très effrayantes : des reptiles énormes qui cherchaient à t'entraîner au fond du marécage… Or, je ne vois ici que de l'eau boueuse, tout juste bonne à abriter des grenouilles. »

Mais la strige frémit de nouveau. Darkat l'interroge mentalement. Et, triomphant, il fournit une explication :

« Nous avons de la chance, Grand Maître : les sortilèges sont en sommeil ! Il va être facile de s'en emparer. »

L'un des sorciers lève les yeux vers le ciel nocturne et déclare :

« En effet, c'est une de ces nuits où la constellation du Serpent endort les forces magiques liées à l'eau. Nous arrivons au bon moment. »

« Cherchons cette pierre ! s'exclame le Grand Maître. Et emportons-la ! À la Citadelle Noire, elle sera en notre pouvoir. »

Les sorciers se mettent alors à fouiller le marécage. L'un d'eux se redresse bientôt, soulevant entre ses mains une pierre ovale, lisse et blanche.

À cet instant, la vision disparaît. Cham entend sa mère souffler, admirative :

— Une pierre de Semblance ! Nastrad est un grand chaman !

— C'est quoi, une pierre de Semblance ?

Dhydra dévisage son fils, dans la lumière tremblante des lampes :

— C'est une sorte d'œuf, contenant une magie très particulière. Les Addraks vont avoir une mauvaise surprise…

Retour à Ombrune

Les sorciers ont regagné la Citadelle Noire. Sans attendre, ils sont descendus dans les souterrains du donjon, qui abritent une salle secrète. C'est là qu'ils préparent leurs plus effrayants sortilèges. Ils ont hâte de s'emparer de l'énergie magique enfermée dans la pierre.

— Puisque cette magie est endormie, dit le Grand Maître, nous pouvons la faire sortir sans danger.

Tous approuvent, sauf Darkat. Depuis qu'ils ont quitté le marécage, il est anxieux.

Il s'attendait à affronter là-bas d'effrayants maléfices, et il ne s'est rien passé. L'explication que lui a fournie la strige lui a été bien utile pour éviter la colère du Grand Maître, mais elle ne l'a pas convaincu. Ils ont emporté cette pierre trop facilement, ce n'est pas normal. De plus, il n'y avait aucune trace de Cham et de Dhydra. Le jeune sorcier craint une ruse de sa sœur. Elle est si puissante ! Ne se serait-elle pas alliée avec les forces mystérieuses du marécage ?

Les sorciers se sont placés en cercle, la pierre dressée au milieu d'eux. Ils étendent les bras. Darkat les imite, mais ses mains tremblent.

Ensemble, ils entament une incantation. Leurs voix montent, sinistres, sous les hautes voûtes obscures. Et, soudain, la pierre se craquelle. De minces rubans de fumée sortent par les fentes, ondulent vers chacun des sorciers, s'enroulent autour d'eux. Alors Darkat pousse un cri. La voix de Dhydra a résonné dans sa tête :

« Une pierre de Semblance, mon frère !

Notre père Eddhor ne t'a donc pas appris à les reconnaître ? »

Darkat veut reculer. Trop tard ! Ses jambes sont déjà raides. Lentement, les sorciers se transforment en statues. Quelques secondes plus tard, ils sont tous figés. On les dirait taillés dans douze pierres blanches, semblables à celle qu'ils ont rapportée du marécage.

À Nalsara, les magiciennes sont penchées sur leur cuve de mercure.

– Voilà les sorciers pétrifiés, murmure Isendrine. Dommage…

– … que l'effet de ce sortilège ne dure pas, ajoute Mélisande. À la nouvelle lune, ils redeviendront eux-mêmes. Enfin, presque…

Elles pouffent, amusées :

– Les sorciers addraks garderont chacun désormais…

– … une main ou un pied de pierre !

Reprenant leur sérieux, elles concluent :

– Un puissant magicien habite les Mornes Monts. En cas de guerre contre les Addraks, il sera…

– … un allié précieux. Il faut l'annoncer au roi Bertram.

Au cœur de la montagne, les fugitifs ont repris leur marche. Soudain, Dhydra s'écrie :

– La flamme de nos lampes ! Elle vacille ! Sens-tu ce souffle sur ton visage ? C'est le bout du tunnel, Cham ! Nous arrivons à Ombrune !

Ombrune, enfin ! Oubliant sa fatigue, ses peurs, ses doutes, le garçon s'élance. Il court à toutes jambes vers une vague lueur qu'il distingue, là-bas. Ils ont traversé la montagne ! Ils sont de retour chez eux !

Il émerge sur un étroit sentier qui descend en lacets à travers les rochers et les buissons. Il est dehors ! Au-dessous de lui s'étendent des prairies, blanches sous la lune. Ombrune ! Cham inspire à pleins poumons l'air glacé de la nuit.

– Nalsara est encore à plusieurs jours de marche, murmure Dhydra, qui vient de le rejoindre. À moins que…

– À moins qu'on se change de nouveau en oiseaux, c'est ça ?

– Il y a parfois d'autres moyens de voler !

Cham la regarde, intrigué. Dhydra désigne alors, dans le ciel nocturne, un point noir qui grandit rapidement. Ça bat des ailes ! C'est un dragon ! C'est…

– Nour ! s'exclame le garçon.

Dans un grand brassage d'air, le jeune dragon atterrit au milieu des buissons :

« Te voilà enfin, petit maître ! Je commençais à trouver le temps long ! »

– Nour ! Nour ! Comment savais-tu que j'arrivais ?

« Oh, les dragons devinent ces choses… »

Puis la grande créature verte incline devant Dhydra sa tête écailleuse :

« Bienvenue, amie des dragons ! Acceptez-vous de voyager sur mon dos ? »

« Ce sera un plaisir, Nour, répond la jeune femme. Merci d'avoir volé à notre rencontre ! »

Cham n'a pas compris un seul mot de ce dialogue, car Nour et sa mère se sont exprimés dans la langue des dragons ! Devant sa mine ahurie, Dhydra éclate de rire :

  — Eh oui, mon fils ! Tu as encore beaucoup à apprendre !

  Dhydra et Cham se hissent sur Nour en
s'agrippant à ses écailles. Dès qu'ils sont
installés au creux de son cou, le dragon
décolle et pique droit vers Nalsara.

– Les voilà ! Les voilà !

Nyne sautille sur place, dans la cour de la Dragonnerie royale où ils sont rassemblés, Hadal, messire Onys, Isendrine et Mélisande, son père et elle. Les magiciennes les ont tirés du sommeil avant l'aube pour leur annoncer la nouvelle : les évadés arrivaient par la voie des airs !

L'énorme silhouette de Nour vient d'apparaître, dans les premières lueurs du jour. Sur son dos, Antos aperçoit son fils et…

– Dhydra !

Une minute plus tard, il presse sur sa poitrine l'épouse bien-aimée qu'il avait crue morte, engloutie dans les flots, perdue à jamais. Il enfouit son visage dans les épais cheveux noirs, dont il retrouve la douceur et le parfum. Il répète, bouleversé :

– Dhydra, Dhydra…

Pendant ce temps, Cham et Nyne s'embrassent, mi-riant, mi-pleurant. En même temps, la petite fille jette des coups d'œil intimidés à cette belle jeune femme qu'elle ne reconnaît pas et qui est sa mère. Mais, quand celle-ci s'approche enfin et la prend dans ses bras, Nyne s'abandonne contre elle en soupirant :

– Maman…

Épilogue

Le soir même, au cours du dîner donné en l'honneur de Dhydra et de son fils, le roi Bertram demande le silence. Levant sa coupe de vin, il déclare :

— C'est avec joie que nous voyons revenir parmi nous une grande magicienne. Ses talents seront précieux dans la lutte contre les Addraks. Car la guerre menace, hélas ! Mais nous sommes forts ; nous possédons des dragons, des dragonniers…

Il marque une légère pause avant d'ajouter :

— Et un futur dragonnier aux dons et au courage exceptionnels. Cham, tu nous as déjà prouvé ta valeur, le jour de notre jubilé : grâce à toi, nos dragons ont pu repousser la strige et son sinistre cavalier, qui voulaient m'enlever. S'ils avaient réussi, le royaume se serait retrouvé sans souverain. Il aurait été alors facile aux Addraks d'attaquer Ombrune. En récompense de cet immense service, je t'ai promis ce jour-là que tu pourrais devenir écuyer d'un dragonnier dès tes douze ans. Quel âge as-tu, à présent?

Impressionné d'être interrogé devant tout le monde par le roi en personne, Cham balbutie :

— Je… j'en aurai onze le mois prochain, Votre Majesté.

Le souverain adresse à messire Onys un regard interrogateur. Celui-ci approuve de la tête. Le roi Bertram reprend :

– Qu'importe l'âge, après tout ! C'est le talent qui compte, n'est-ce pas ? Notre Maître Dragonnier est d'accord. Cham, je t'offre de devenir dès aujourd'hui l'écuyer de messire Yénor. Tu l'as bien mérité.

Des bravos et des applaudissements saluent ce discours. Le garçon, stupéfait, devient rouge comme un coquelicot. Il voit autour de la table tous les êtres qui lui sont chers : son ami Hadal frappe dans ses mains

avec enthousiasme ; Viriana, assise à côté du secrétaire, essuie une larme de joie ; ses parents lui sourient avec fierté ; et Nyne, sa petite sœur, le fixe d'un air admiratif.

En face de lui, Isendrine et Mélisande secouent leurs longues nattes rouges :

— Eh bien, Cham, tu ne vas pas manquer de travail, car...

— ... soigner les dragons, c'est bien. Mais il ne faudra pas négliger l'apprentissage de la magie !

— Oh, je... je ferai de mon mieux, promet le garçon.

La voix de Nour résonne alors dans sa tête :

« C'est moi qui ai soufflé à messire Onys de te nommer écuyer de Yénor. Ainsi, nous serons souvent ensemble. Tu es content, petit maître ? »

Oui, Cham est content. Un peu inquiet tout de même : le roi a parlé de guerre contre les Addraks... Il aurait préféré ne plus jamais avoir affaire à ces affreux sorciers ! Mais il est là, avec son père, sa mère, sa sœur, tous ces gens souriants qui l'acclament. Il va travailler à la Dragonnerie royale. Et un jour, il le sait, il sera dragonnier !

Loin, très loin de là, dans le Royaume des Dragons, Selka fixe l'horizon. Inclinant sa belle tête verte, elle murmure :

« Je t'ai promis qu'un de mes petits deviendrait ton dragon, Cham. Dans neuf ans, quand tu auras achevé ta formation. »

Pensive, elle ajoute :

« Or, il se pourrait que ce soit plus tôt. Oui, beaucoup plus tôt que tu ne l'imagines, petit dragonnier… »

FIN DE LA PREMIÈRE ÉPOQUE

Retrouve vite Cham et Nyne
dans la suite des aventures de

Les dragons de
Nalsara

Tome 13
Douze jours, douze nuits